Catherine Despatis

personnages créés par

lauren child

Oups...
Mais ce n'est pas ma faute!

la courte échelle

Traduit de l'anglais
(Royaume-Uni) par Fanny Britt

Texte adapté d'un scénario de
Bridget Hurst et Carol Noble.
Illustrations tirées de la série télévisée
produite par Tiger Aspect.

Les éditions de la courte échelle inc.
5243, boul. Saint-Laurent
Montréal (Québec) H2T 1S4
www.courteechelle.com

Traduction de l'anglais (Royaume-Uni) : Fanny Britt
Révision : Marie Pigeon Labrecque
Infographie : Vivace design

Dépôt légal, 1er trimestre 2009
Bibliothèque Nationale du Québec

La courte échelle reconnaît l'aide financière du gouvernement du Canada par l'entremise du Programme d'aide au développement de l'industrie de l'édition pour ses activités d'édition. La courte échelle est aussi inscrite au programme de subvention globale du Conseil des Arts du Canada et reçoit l'appui du gouvernement du Québec par l'intermédiaire de la SODEC. La courte échelle bénéficie également du Programme de crédit d'impôt pour l'édition de livres — Gestion SODEC — du gouvernement du Québec.

Catalogage avant publication de Bibliothèque et Archives nationales du Québec et Bibliothèque et Archives Canada
Child, Lauren
    Oups... Mais ce n'est pas ma faute ! (Série Charlie et Lola ; 5)
Traduction de : Whoops! But it wasn't me.
Pour enfants de 3 à 5 ans.
ISBN 978-2-89651-129-7 (rel.) ISBN 978-2-89651-135-8 (br.)
I. Britt, Fanny. II. Titre.
PZ23.C4553Ou 2009   j823'.914   C2008-941513-2v

J'ai une petite sœur qui s'appelle Lola.
Elle est minuscule et très drôle.
Parfois, Lola aime jouer
avec mes affaires.
D'habitude, ça ne me dérange pas.

Un jour, je reviens de l'école
avec la plus belle invention
que j'ai inventée de ma vie.

Lola dit : «Ooooh !»

Je dis :
« J'ai travaillé dix jours,
trois heures et quarante minutes
pour construire
ma superstructure...

... J'ai utilisé

trois boîtes de céréales,

dix pots de yogourt,

28 bouchons de bouteilles, 157 emballages de bonbons et un rouleau d'aluminium extra-large...

deux tubes complets de colle,
trois pots de peinture
et un demi-rouleau
de ruban adhésif. »

Lola dit : «Ooooh !»

Je dis : «N'y touche pas !
Cette fusée est très fragile.
Tu peux jouer avec presque
tous mes jouets,
mais tu dois absolument me faire la double,
la triple promesse de ne
JAMAIS jouer
avec celui-là.»

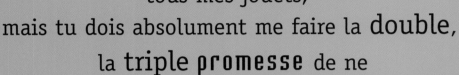

«Jouons à autre chose, alors», dit Lola.
Je réponds :
«Je dois aller jouer avec Marv.»

«Mais qu'est-ce que je vais faire, moi?»
Je propose : «Pourquoi ne jouerais-tu
pas avec Soren Lorensen?»

Soren Lorensen est l'ami imaginaire de
Lola. Personne ne peut le voir sauf Lola.

Et Lola dit :
«Oui. Soren Lorensen, lui, veut toujours
jouer avec moi.»

«Salut, Soren Lorensen, dit Lola.
Charlie est parti voir Marv, mais je suis
certaine que nous pouvons nous
amuser autrement, n'est-ce pas?»

Et Soren Lorensen répond :
    «Oui, avec les deux hyènes ricaneuses
qui sont sœurs et qui sont jumelles.»

Lola dit : «Oui, et avec Ellie,
le tout petit éléphant microscopique.

Mais où se passe leur aventure ? »

Soren Lorensen dit :
« Là où tous les **animaux** vivent. »

Et Lola ajoute :
« Dans une **Lointaine** contrée très loin. »

« Oh non, dit Soren Lorensen. Ellie est tout triste
parce qu'il est très loin de sa famille
et qu'il n'aime pas que les hyènes
rient de lui. »

« Ces **hyènes** sœurs jumelles sont **méchantes**,
n'est-ce pas ? demande Lola.
Qu'allons-nous faire ? »

«Nous ne pouvons pas laisser Ellie triste comme ça, dit Lola.
Il doit aller retrouver ses amis au Pays des éléphants...
mais comment l'aiderons-nous à y retourner?»

Puis, Soren Lorensen montre la fusée du doigt.

Lola dit :

« Mais cette fusée est extrêmement fragile et spéciale
et Charlie a dit de ne PAS y toucher JAMAIS,
et de ne JAMAIS jouer avec. »

« C'est vrai, dit Soren Lorensen. Mais je pense que
ce que Charlie voulait dire, c'est que
si on joue avec, il faut faire extra super
attention de ne pas la briser. »

Alors Lola tend les bras pour saisir la fusée.

Soren Lorensen dit :
    « N'oublie pas de faire extra
super attention, Lola. »

Et Lola dit :

« Je fais extra
        super
            attention ! »

Puis elle dit :

« OUps ! »

Lola regarde les morceaux de la fusée brisée.
« Tu sais, je pense que
quand les choses sont brisées
on peut toujours les réparer et les remettre
comme elles étaient avant...

Si nous agissons comme si
de rien n'était, Lola,
Charlie ne saura jamais
ce que nous avons fait »,
dit Soren Lorensen.

Lola chuchote :

« Non, il ne le saura jamais. »

Quand je rentre à la maison,
je m'écrie :
« Ma fusée !
Lola !
As-tu brisé
ma fusée ? »

Lola dit :
« Je n'ai pas brisé ta fusée, Charlie.
Tu m'as absolument dit de ne PAS
y toucher JAMAIS... au grand JAMAIS. »

Je réponds :
« Tu es en train de me mentir, Lola !
Et tu le sais ! »

« Ne le dis pas à maman,
supplie Lola. Attends, Charlie !
Je veux juste dire un mot
à Soren Lorensen. »

Lola demande : « Penses-tu que nous devrions raconter
à Charlie ce qui s'est réellement passé ? »
Soren Lorensen dit : « Peut-être devrions-nous lui dire
que quelqu'un d'autre a brisé la fusée ? »
Et Lola répond : « Oh oui ! Parce que c'est presque quasi vrai ! »

Alors Lola revient me parler.
«Charlie, Soren Lorensen et moi avons quelque chose de très **extrêmement** important à te dire.»

Je dis : «Quoi?»

Lola répond :
«C'est la vraie histoire **véridique** de celui qui a **brisé** ta super **fusée**.

Eh bien, moi et Soren Lorensen étions
en train de jouer dans notre
chambre, Charlie, et Ellie avait besoin
d'utiliser ta fusée.

Et je ne trouvais pas
que c'était une bonne idée,
mais Ellie ne voulait rien entendre.

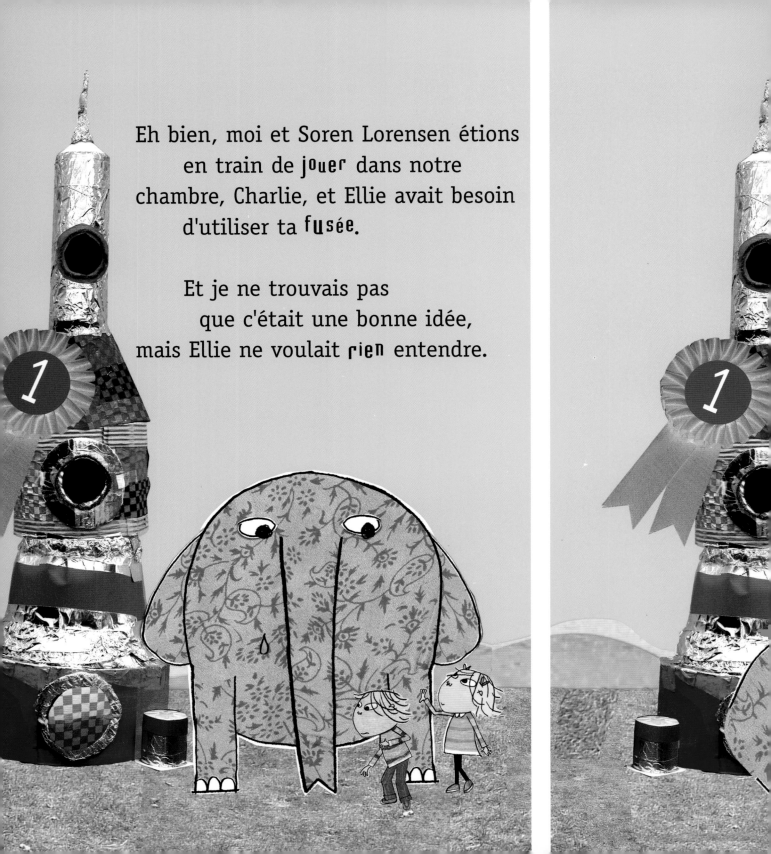

Alors nous nous
sommes tous serrés
dans la fusée pour
aller retrouver les
gentils amis d'Ellie.

C'était extra serré.
Mais nous avons réussi.

La fusée a décollé.

Whoosh...

Elle a monté **haut**; toujours plus **haut**;
tout autour de la planète.

Whoosh

Puis elle a piqué vers le **bas**,

toujours plus **bas**; encore plus **bas**...

... et quand
nous avons atterri

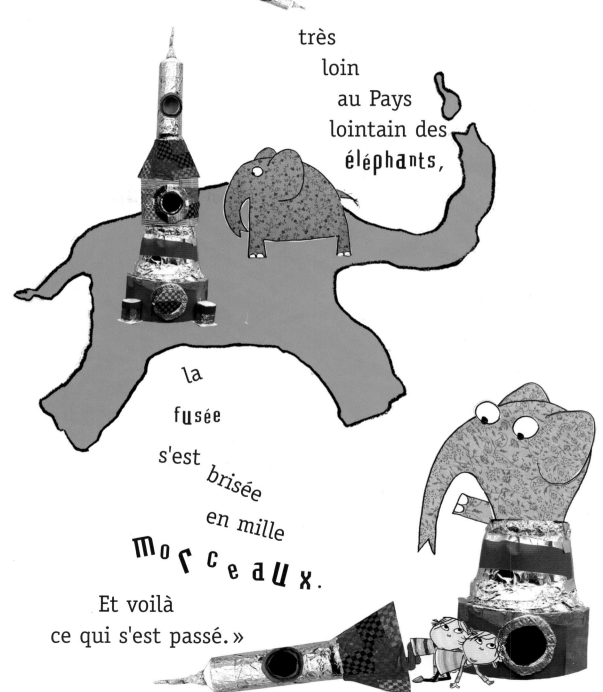

très
loin
au Pays
lointain des
éléphants,

la
fusée
s'est brisée
en mille
morceaux.

Et voilà
ce qui s'est passé. »

Je dis :
« Bon,
Je vais le dire
à **maman** ! »

« Oh ciel ! Je ne crois pas qu'il nous a **crus** », dit Soren Lorensen.

Lola dit :
« Je pense que je dois dire
la **vérité** à Charlie. Mais Charlie m'**aimera-t-il** encore si je le lui dis ? »

Soren Lorensen répond :
« Oui, à condition
que tu t'**excuses**. »

Lola cogne à la porte :
« Soren Lorensen
voudrait vraiment s'excuser
d'avoir brisé ta
fusée, Charlie. »

Alors j'ai fermé
la porte.

Puis, elle cogne de nouveau
et dit :
   « C'est moi qui ai brisé ta
fusée. Je jouais avec Ellie et
   juste au moment où j'avais
presque fini de descendre ta
   super fusée spéciale
de sa tablette très haute...
         elle est tombée
         et s'est cassée
      en mille
         morceaux.

Je suis vraiment
      très extrêmement
   réellement désolée
      d'avoir brisé ta
   super fusée spéciale,
      Charlie. »

Et je dis :
« Es-tu **vraiment** désolée, Lola ? »

Lola répond : « **Vraiment**, RÉELLEMENT
très désolée. »

Et elle semble vraiment très désolée.

Alors je dis : « Ça va.
Au moins, tu as dit la **vérité**. »

Puis Lola voit la fusée.

« Tu l'as **réparée**, Charlie ! »

Et je dis :
« Oui, Lola, je l'ai **réparée**. »

« Elle est belle », dit Lola.
Je réponds :

« N'y touche surtout pas ! »